W9-DBG-513

BIÈRES

Thomas Lange & Jo Forty

Adaptation Christian Pessey

Books & Co.

ISBN 2-84509-055-2

Réalisation de la version française :
LES COURS-Caen/Christian Pessey
avec la collaboration de Sébastien Pessey (traduction),
Anne Gaubert (PAO), Anne Laurence (secrétariat d'édition)
Catherine Lucchesi (relecture)

Imprimé en Chine

Crédits et remerciements

Les photographies de cet ouvrage ont été prises en
majorité par Simon Clay ; l'auteur et l'éditeur remercient
également Marston's pour les photos des pages 4, 7 et 8,
et Einbecker pour celles des pages 40 et 41.

Thomas Lange est membre de la British Guild of Beer
Writers. C'est l'un des spécialistes mondiaux de la bière.
Il organise régulièrement de grandes dégustations où
sont réunies et appréciées les meilleures
bières du monde entier.

Introduction

Des archéologues ont démontré que les Égyptiens et les Sumériens brassaient déjà de la bière il y a 5 000 ans, nos plus vieilles recettes n'étant qu'un dérivé des leurs. Cependant, la première forme de brassage fut probablement mise au point au cours du néolithique, lorsque l'homme commença à récolter et à entreposer des céréales, découvrant ainsi le procédé de fermentation et ses utilisations.

La bière était, et demeure aujourd'hui, bien plus que la plus vieille des boissons alcoolisées, utilisée et consommée de bien des façons et pour bien des raisons. Elle servit de médicament pour soigner les malades, dans la religion pour honorer aussi bien les dieux que les morts, de moyen de paiement ou pour le troc, mais également d'aliment. Il est intéressant de noter que la bière et le pain ont les mêmes ingrédients, leur développement étant lié. Le mot qui désignait la bière chez les Sumériens signifiait d'ailleurs "pain liquide", parce qu'ils obtenaient leurs bières en faisant fermenter du pain dans de l'eau.

Avant que n'apparaissent les systèmes de réfrigération et de fermentation modernes, la bière ne pouvait être fabriquée et consommée que localement, et seulement à certaines périodes de l'année, car on ne pouvait ni la conserver

ni la faire voyager. Les monastères du Moyen Âge, possédant des traités en grec et en latin sur les techniques de brassage des Égyptiens, devinrent célèbres pour leurs bières. Ils amenèrent des innovations permettant d'obtenir celles que nous buvons aujourd'hui, le remplacement des agents de saveur par le houblon et la technique de la fermentation basse.

C'est avec la croissance des villes et l'urbanisation que l'on vit apparaître les spécialisations et les brasseries commerciales. La bière devint une importante source de revenus pour les autorités civiles aussi bien locales que nationales, d'autant que les lois garantissaient sa pureté et sa qualité. Au début du XIXᵉ siècle, la bière était encore obtenue à partir de fermentation haute, d'où une durée de conservation limitée, mais quelques décades ont suffi pour que l'industrie connaisse des changements radicaux grâce à la généralisation de la fermentation basse, à l'invention de la réfrigération et du transport à vapeur, enfin, à la pasteurisation. Ces changements provoquèrent une augmentation massive de la production, car la bière put désormais être produite tout au long de l'année et conservée plus longtemps ; elle pouvait aussi être acheminée rapidement dans des régions où la demande (ainsi que la consommation) était forte.

Une idée fausse mais répandue consiste à présenter la bière comme une boisson spécifique, tout comme le sont les *stout, ale, porter, bitter* et *lager*. En fait, le mot "bière" n'est qu'un terme générique, englobant toutes ces différentes variétés et désignant toute boisson brassée à partir de grain (généralement de l'orge), de houblon et de levure. La principale différence entre les différents types de bières existants se situe généralement au niveau de la levure utilisée – que l'on ait recours à une fermentation haute ou basse – bien que

Livraison à l'ancienne des bières de la brasserie Morrell.

d'autres facteurs puissent jouer, tels le choix du houblon, de l'orge, de l'eau ainsi que la technique propre à certains brasseurs. Les variations entre les houblons, l'orge et l'eau, ainsi que les proportions retenues, font la différence entre une bière blonde et une bière brune. Le pays d'origine est, bien entendu, important, tout comme le type de bière qui y est fait et ce, même si toutes les bières sont fondamentalement les mêmes. Les différences de goût résultent du type de fermentation, haute ou basse, choix qui détermine les différentes étapes de la fermentation et constitue l'élément déterminant quand au caractère particulier d'une bière.

La révolution de la *lager*, conduite par les brasseurs d'Europe centrale, fit disparaître un grand nombre de bières plus anciennes, sauf en Europe du Nord où une sorte de "coexistence pacifique" semble s'être établie. Les années 1970 furent marquées par le déclin des bières brunes, victimes de l'omniprésence des *lagers*, produites en masse (bien qu'il y ait toujours des exceptions, comme en Irlande avec la Guinness). Depuis cette époque, on a pu assister à un véritable retour de la production de bières locales sur tous les continents, avec l'apparition de centaines de "microbrasseries" développant et produisant leur propre type de bière. Bien que les *lagers*, faiblement colorées, soient encore prédominantes, on a assisté à une reprise de la demande et à un regain d'intérêt pour des types de bières plus anciens.

COMMENT LA BIÈRE EST-ELLE FAITE ?

Le principal ingrédient de la bière est l'eau – de l'eau pure en quantité constante. Les grandes cités brassicoles comme Burton, Budweis, Dublin ou Dortmund ont toutes tiré avantage de l'abondance et de la qualité de leurs sources d'approvisionnement en eau. Après l'eau, c'est le grain, généralement l'orge, qui constitue la clef de la production du malt, à partir duquel on obtient la bière.

L'orge

La plupart de l'orge utilisée pour le brassage est cultivée dans le but précis de faire de la bière. Sa qualité varie suivant le climat et les caractéristiques du temps pendant la culture, ainsi que la localisation du champ. On se sert traditionnellement de l'orge à deux rangs, bien que l'orge à six rangs puisse également être utilisée. L'orge a de tout temps été le grain le plus employé pour ses caractéristiques propres : sa teneur élevée en sucres fermentables, et son enveloppe qui agit comme filtre naturel.

Pour brasser la bière, l'orge est "maltée" – trempée dans de l'eau jusqu'à ce qu'elle commence à germer –

puis séchée dans un four. Chaque élément du processus peut conduire à des variations : le type de grain, le lieu où il a été cultivé, la quantité de moisissure qu'il contient, la température et la durée. À ce stade sont obtenues la couleur et la résonance de la bière. Le maltage libère l'amidon qui, lorsque le malt sera de nouveau mélangé avec de l'eau chaude, se transformera en sucre, élément vital au procédé de fermentation. C'est à cette mixture, connue sous le nom de "moût", que sont ajoutés le houblon puis, une fois que le moût a refroidi, la levure. Ces ingrédients indispensables donnent le goût, l'arôme et l'amertume, qui compensent la douceur du malt, mais aussi combattent ses bactéries latentes et agissent comme un conservateur naturel. Enfin, le brasseur pourra combiner un certain nombre de malts pour obtenir la cuvée désirée.

Le blé

Certaines des bières les plus rafraîchissantes contiennent une portion de blé mélangé à l'orge. Même si l'utilisation du blé dans le brassage de la bière ne date pas d'hier, elle avait eu tendance à disparaître à certaines époques pour réapparaître à d'autres. Le blé n'est pas très populaire auprès des brasseurs, sans doute parce qu'il ne possède pas d'enveloppe et peut, de ce fait, boucher les machineries de brassage. C'est pour cette raison qu'il ne peut être utilisé que comme complément à l'orge et non seul. Appelée *weissenbier* ou *weisse* – à savoir blé ou blanc, en référence à sa couleur mais aussi à son apparence –, la bière à base de blé a une couleur claire et est par ailleurs très désaltérante. Le sud de l'Allemagne est le principal lieu de production de cette bière, même si la Belgique en produit aussi, les bières à base de blé américaines et canadiennes dérivant aussi de cette recette.

La levure

Tout comme le vin, le pain, les yaourts et bien d'autres aliments, la bière dépend de la levure. Ce micro-organisme unicellulaire, invisible à l'œil nu, consume les sucres contenus dans le malt et les transforme en alcool, tout en dégageant du dioxyde de carbone. Il va de soi que tout ceci n'était pas connu par les premiers brasseurs, dont les procédés étaient purement empiriques. Un vieux truc de fermentation utilisé par les brasseurs – appelé le "lambic" – consiste à garder les fenêtres de la brasserie grandes ouvertes pour laisser entrer des levures sauvages contenues dans les courants d'air. Cette méthode a connu de nombreuses variantes : les brasseurs remarquèrent que la "mousse de levure" qui se formait lors du brassage pouvait être réutilisée, et ils commencèrent donc à la conserver. C'est cette fermen-

Pesage du houblon.

tation haute qui constitue le point de départ du développement et de la sélection des levures. La levure de fermentation basse était exclusivement produite en Allemagne au XIVe siècle, époque à laquelle on découvrit que, gardée à froid dans des caves, la levure descendait au fond des cuves, les levures sauvages ne pouvant plus affecter le brassage en raison de la température. Toutefois, il faudra attendre l'invention du microscope et de la pasteurisation pour que la levure soit comprise et contrôlée. De nos jours, les levures sont conservées dans des cuves, dans des banques de levures.

Le houblon

Dans le passé, avant l'utilisation du houblon, toutes sortes d'épices, d'herbes et de fruits furent utilisées pour aromatiser et conserver la bière. Certains pays (la Belgique, l'Angleterre) n'ont d'ailleurs jamais vraiment abandonné ces pratiques, alors que d'autres ont adopté des "lois de pureté" (*Reinheitsgebot*) interdisant formellement toute adjonction autre que celle du houblon (considéré comme cousin de l'ortie et du cannabis). Bien que connue depuis l'Antiquité et pratiquée de différentes manières, la combinaison houblon-malt pour produire de la bière remonte aux brasseries Weihenstephan, en Bavière. Il fallut un certain temps avant que la pratique se répande et elle ne fut utilisée en Angleterre avant le XVe siècle. On utilise le houblon femelle pour le brassage. Contenant des résines, des huiles essentielles, des tanins et des conservateurs, le houblon a toute une gamme d'effets une fois mélangé avec le malt lors du brassage. Excellent conservateur, il donne à la bière son arôme, son goût et une pointe d'amertume.

La fermentation

La plus vieille méthode de brassage est la fermentation haute. Dans cette méthode, on permet à la levure de monter à la surface de la bière en cours de fermentation. Celle-ci intervient à haute température (15-20 °C, voire plus) et pendant une courte période. C'est cependant la fermentation basse qui s'est imposée, jusqu'à devenir la méthode la plus utilisée de par le monde, notamment pour obtenir la *lager*. La température à laquelle la fermentation intervient est basse (6-8 °C) et la durée est longue (de 7 à 10 jours).

C'est lors de la fermentation que l'alcool se développe. Le taux d'alcool dépend du sucre contenu dans le moût et du temps de fermentation, ce procédé étant souvent appelé "atténuation".

Le conditionnement

Après la fermentation, la bière jeune est appelée "bière verte" et est laissée à décanter dans des barils, des tonneaux ou des bouteilles afin d'être conditionnée. À ce stade, de nouveaux ingrédients peuvent être ajoutés pour "ajuster" le brassage et continuer la fermentation. On utilise généralement des ingrédients fermentables comme le moût pour la *kraüsen*, des levures ou du houblon. Ce procédé peut durer de 1 semaine à 2 ans, suivant le type de bière désiré. Cette variation est un facteur important puisqu'elle aura une incidence sur le goût et le parfum du produit fini. Les *ales* et les *stouts* ne sont pas stockées longtemps, alors que les *lagers* (le nom venant d'ailleurs du mot allemand voulant dire stocker) sont laissées à reposer une longue période.

La force de la bière

La force d'une bière – ou sa teneur en alcool – est indiquée sur l'étiquette. Cette information est parfois trompeuse si l'on veut comparer deux types de bières, car, d'un pays à l'autre, les méthodes pour indiquer la teneur en alcool peuvent changer. Dans la plupart des pays d'Europe, par exemple, la force de la bière est indiquée en pourcentage d'alcool par rapport au volume (comme pour le vin) ; mais, aux États-Unis, celle-ci est mesurée en proportion d'alcool par rapport au poids. La plupart des bières ont un volume d'alcool (ABV) de 4 à 5 %, les bières spécialisées pouvant avoir un pourcentage plus fort, entre 6 et 8 %.

LES TYPES DE BIÈRES

ALES

Ce terme désigne les bières de fermentation haute, de style anglais et fruitées. Elles sont produites en une grande variété d'arômes, de forces et de couleurs.

Barley wine
Ces *ales* extrafortes (plus fortes que le vin) sont géné-

ralement sombres, mais on trouve des versions plus pâles. Les *barley wines* américaines ont tendance à être plus houblonnées que leurs homologues européennes.

Bitter

Ales houblonnées de tradition anglaise, comme la *Old Speckled Hen* de Morland (à droite), les *bitters* ont souvent une amertume due au houblon, leur gamme de couleurs allant du pâle au cuivre sombre. Leur teneur en alcool va de 3,5 % pour les "best" à 4,5 % pour les "special".

Blonde ale

Bières maltées au bouquet de houblon présentant un palais légèrement malté et fruité, les *blonde ales* ressemblent aux *lagers* et visent en général une clientèle réfractaire aux *ales* classiques.

Brown ale

Plus douces, elles possèdent plus de corps et sont plus pâles que les *milds* anglaises. Peu amères, elles pourront avoir, suivant leur origine, un léger goût de noisette.

India pale ale

Bières anglaises destinées à l'origine à être consommées aux Indes, elles étaient brassées en vue d'une forte teneur en alcool, avec une forte proportion de houblon afin de pouvoir se conserver durant le voyage. Aujourd'hui, elles sont généralement plus claires que les *pale ales*. Les *India pale ales* se doivent de posséder un corps et un maltage moyen afin de couvrir une forte teneur en alcool allant de 5,5 à 7 %. Les brasseurs américains ont tendance à produire une version plus maltée.

Mild ale

Provenant des zones minières d'Angleterre, elles possèdent une faible teneur en alcool et manquent d'amertume. Plus douces et plus pâles que les *porters*, elles ont néanmoins un corps assez malté. Elles contiennent autour de 3 % d'alcool.

Pale ale

Elles sont souvent appelées *bitters* et présentées par les brasseurs sous l'appellation "premium bitter". Leurs couleurs pâles varient de l'ambre clair au cuivre.

Porter

Vieilles *ales* de style londonien qui redeviennent à la mode, elles sont charpentées et de couleur café (grâce

aux malts sombres et "chocolat" utilisés lors de leur brassage). Certaines versions sont obtenues à partir de fermentation basse.

Scottish ale

Elles possèdent un arôme et un parfum plus maltés que ceux des *ales* anglaises. Il en existe de nombreuses versions : légère, lourde, export, forte, ou référencées suivant leurs anciens systèmes de taxation : 60 (shillings), 70, 80 et 90.

STOUTS

À l'origine, c'était la version irlandaise des *porters* londoniennes. Sèches, très sombres, obtenues par fermentation haute à partir de malt et d'orge torréfiés.

Dry stout

Bières de type irlandais, rendues célèbres dans le monde entier par la Guinness. D'amertume moyenne ou forte, on y rajoute quelquefois de l'orge non malté pour atténuer l'amertume du houblon.

Imperial stout

Brassées à l'origine comme *stouts* sèches au caractère robuste pour être exportées en Russie. Haute teneur en alcool, goût fruité et relents d'ester. Elles ont généralement un goût de café. Entre 7 et 9 % ABV, voire plus.

Milk stout

Versions anglaises de la *stout* au caractère général assez doux. Leur goût provient du sucre de lait (lactose) et de malt "chocolat". Elles n'ont pas de houblon et sont assez légères, autours de 3 % ABV.

Oatmeal stout

Variation de la *stout* anglaise dans laquelle on ajoute de la farine d'avoine afin d'augmenter le corps et l'arôme. Elles possèdent un léger goût de caramel et de noisette.

LAGERS

Terme générique pour les bières de fermentation basse. Habituellement dorées, bien que l'on trouve des versions plus sombres en Europe continentale et aux États-Unis.

Pils/pilsner

Terme désignant en général toute bière dorée, sèche, de fermentation basse et souvent de première qualité. Originaires de la ville de Plzen, comme la *Pilsen Urquell* (source d'origine), leur style peut être caractérisé par une bonne teneur en houblon, un arôme fleuri et un caractère sec. Les *pilsners* allemandes sont plus amères, moins maltées et plus claires de goût que les *pils* originales, venant de Bohême.

Bock

Lagers très fortes, originaires de Einbeck, dans le nord de l'Allemagne. Bien que fortes en alcool (6-7,5 % ABV) leur goût est léger, un peu malté et amer. Désigne aussi la force de la bière : *weizenbock*, par exemple.

Doppelbock

Tout *bock* dépassant 7,5 % ABV doit être appelé *doppelbock*. Pleine de corps, allant du doré au marron très sombre et possédant une amertume équilibrée.

Eisbock

Type de *bock* traditionnel (à ne pas confondre avec la *ice beer*) obtenu en gelant la *doppelbock* puis en ôtant la glace qui s'est formée, permettant ainsi une forte concentration d'alcool, allant de 10 à 14 % ABV.

Märzen/oktoberfest lager

Lagers produites en Bavière en tant qu'adaptation de la *lager de Vienne* et possédant une douceur et un arôme malté. De corps moyen, elles possèdent une amertume moyenne à faible. Traditionnellement produites en mars, quand la législation et le manque de systèmes de réfrigération empêchaient tout brassage en été.

Lager de Vienne

Classique *lager* ambrée. Un caractère qui se distingue par un procédé de maltage spécifique lui conférant sa saveur et sa couleur particulières.

Liqueur de malt

Terme américain ambigu pour les variations fortes des *lagers* américaines standards. Certains États demandent que toute bière supérieure à 5 % ABV soit désignée sous le terme de "malt liquor" (liqueur de malt).

Standards américaines

Brassées avec 25 à 40 % de riz et de maïs. Goût et arôme malté très faibles. Légèrement houblonnée et faible de corps.

Wheat beer

Hautement pétillantes, brassées par fermentation haute avec 50 % de blé, au léger caractère houblonné. La *wheat beer de Bavière* a un corps moyen à faible avec un goût fruité. Le goût peut être banane, vanille, clou de girofle, muscade ou cannelle. On peut même trouver de la bière parfumée au bubble-gum. Elle peut être appelée *hefe*, *weiss*, *weizen* ou *weisse*. Le terme *kristal* indique une *wheat beer* filtrée.

Wheat beer belge/wit

Ce genre est caractérisé par un goût d'orange et d'épices. C'est ici le type de levure utilisé qui confère à la bière son arôme orangé ou citronné. Cette bière est brassée avec des blés non maltés, ce qui lui donne plus de corps que les *wheat beers* allemandes, et un goût plus épais.

BIÈRES SPÉCIALES

Altbier

Provenant du nord de l'Allemagne, c'est une bière à fermentation haute. "Alt", qui signifie "vieux" en allemand, était utilisé pour montrer qu'il ne s'agissait pas d'une *lager* mais d'une bière issue de traditions anciennes. La *altbier* est généralement obtenue par fermentation ouverte, suivie par une période de maturation à froid. Son goût clair et houblonné ainsi que sa finition quelque peu amère l'ont rendue très populaire aux États-Unis.

Bières de garde

Originaires du nord de la France, ces bières étaient traditionnellement brassées à la fin de l'hiver pour être bues l'été suivant. Elles sont moyennement alcoolisées et ont un goût fruité et épicé. Auparavant brassées par fermentation haute dans des brasseries installées dans des fermes, elles sont aujourd'hui brassées de manière commerciale. Il est cependant encore difficile de les trouver hors du nord de la France et du sud de la Belgique.

Kölsch

Bière de Cologne (Köln) protégée par une loi réservant à l'Association des brasseurs de Cologne (située à Cologne et dans ses environs) la possibilité de brasser cette bière délicate et dorée. Obtenue par fermentation haute et fermentation à froid, elle est ensuite filtrée pour donner un breuvage au goût clair et délicat, moyennement alcoolisé et plutôt houblonné.

Steam beer

Spécialité de la côte ouest des États-Unis (surtout de San Francisco). La bière est brassée dans des cuves peu profondes, à la température des *ales*, mais avec de la levure à *lager*, ce qui lui permet de refroidir rapidement sous les climats chauds et lui donne son goût si particulier.

Bières de trappiste

Il n'y a plus que six monastères trappistes brassant encore de la bière : Orval, Rochefort, Chimay, Westmalle et Sint Sixus en Belgique, Schaapskooi aux Pays-Bas. Il s'agit de bières fortes, douces, toujours fruitées et pleines d'arômes. De fermentation haute, elles sont conditionnées en bouteille.

Bières d'abbayes

Traditionnellement faites en Belgique, par des ordres religieux autres que les trappistes. De nos jours, elles sont très largement produites sous licence par des brasseries commerciales. Elles sont produites en nombre croissant dans les microbrasseries aux États-Unis.

Faro

Il s'agit d'un type de *lambic*, obtenu à partir d'une bière fraîchement brassée et adoucie avec de la mélasse, du sucre ou du caramel et quelquefois même des épices. La bière obtenue est ensuite pasteurisée afin d'empêcher le sucre de fermenter. C'est une bière légère, douce et traditionnellement délayée dans l'eau.

Gueuze

Mélange de jeune et de vieille *lambic*, elle est conditionnée en bouteille et d'une couleur dorée à ambrée. Sans ajout de sucre ou de levure, elle passe plusieurs années en bouteille avant d'arriver à maturation. Malheureusement, un bon nombre de versions commerciales disponibles actuellement sur le marché ne sont pas fidèles à la tradition.

Lambic

Bière de blé aigre obtenue par fermentation spontanée avec des levures "sauvages" et produite dans la région de Bruxelles. Après la fermentation spontanée, elle est placée dans des tonneaux de chêne pour plus de 3 ans afin de subir une seconde fermentation.

Rauchbier

Bière brune de fermentation basse obtenue avec de l'orge malté mis à reposer sur un plateau perforé et à sécher au-dessus d'un feu de bois. Ainsi, les grains obtiennent un goût sec et fumé. Cette méthode traditionnelle de séchage de grains s'est éteinte sauf en Pologne et en Allemagne (les scotch whiskies sont aussi obtenus suivant cette méthode).

Bières d'hiver et de saison

Comme leurs noms l'indiquent, ces bières sont produites pour coïncider avec une saison particulière, souvent en hiver. Elles ont en principe beaucoup de corps, une forte teneur en alcool, et elles sont assez douces

Anchor Steam Beer

Brasserie : Anchor Brewing Company

Adresse : 1705 Mariposa Street
San Francisco
Californie 94107
États-Unis

Maison fondée en 1860 et rachetée quand elle fit faillite, en 1965, par Fritz Mayatag, elle est aujourd'hui l'une des plus appréciées et des plus admirées aux États-Unis. Son produit principal, l'*Anchor Steam Beer*, est obtenu grâce à un procédé unique en Amérique. Avant l'apparition des systèmes de réfrigération dans l'Ouest, les brasseurs utilisaient de la levure de *lager* à température normale, dans des cuves à fermentation peu profondes. La bière ainsi obtenue est désaltérante et pétillante comme une *lager* et possède le goût fruité d'une *ale*. C'est une bière maltée à la finition houblonnée de 5 % ABV.

Anchor fabrique aussi une *Porter stout* crémeuse obtenue par fermentation basse, une *Liberty Ale*, qui est, elle, de fermentation haute et possède une finition houblonnée pleine d'arômes, une *Barley Wine* (*Old Foghorn*), des bières de froment fruitées et la *Our Special Ale*, une bière calorique pour l'hiver produite exclusivement entre Thanksgiving et le nouvel an, chaque cuvée annuelle présentant un arbre différent sur son étiquette.

Anchor Steam

Anchor Steam brand beer derives its unusual name
from the 19th century when "steam" seems to have
been a nickname for beer brewed on the West Coast
of America under primitive conditions and without ice.
The word "steam" may have referred to the pressure
of natural carbonation developing in the beers.
Today the brewing methods of those days are
all but a mystery, and for many decades Anchor alone has
used the quaint name "steam" for its unique beer.

Asahi

Brasserie : Asahi Breweries

Adresse : 23-1 Azmabashi 1-Chome
Sumida-ku
Tokyo
130 Japon

Depuis que les bières de style occidental ont été introduites au Japon, au XIXᵉ siècle, leur demande, tout comme leur popularité, n'a cessé de croître. L'industrie brassicole japonaise est l'une des plus avancées technologiquement, elle est aussi en pleine expansion grâce à l'éclosion des microbrasseries et des pubs. Asahi est l'une des quatre grandes brasseries nationales, les trois autres étant le géant Kirin (l'un des cinq plus grands vendeurs de bière au monde), Sapporo et Suntory, et fabrique un nombre toujours plus important de bières.

Asahi est connu pour sa *Pilsner Draft Super Dry*, une bière blonde sèche filtrée à froid et disponible en toute saison, titrant 5 % ABV. Elle fit sensation lors de sa sortie, à tel point que l'on parla de "Dry Boom" au Japon. La bière *Dry* est fabriquée à partir de maïs et de riz, d'enzyme et de levure *super-attenuating*, ce qui lui permet une fermentation plus complète et limite la douceur résiduelle du breuvage. On obtient ainsi un goût bien sec, l'un des plus appréciés au Japon, et ce, même si les amateurs de bière ailleurs dans le monde sont beaucoup plus réservés.

Asahi fait également une *Pilsner Draft*, au léger goût de noisette : la remarquable *Asahi Stout* (8 % ABV), véritable bière de fermentation haute. Elle n'est produite qu'occasionnellement et a un goût généreux, aux nuances fruitées et houblonnées. Asahi – tout comme les autres brasseries japonaises – fait également une bière brune de style allemand, de 5 % ABV, possédant un doux arôme et un parfum de malt et de caramel.

Aecht Schlenkerla Rauchbier

Brasserie : Brauerei Heller-Trum

Adresse : Schlenkerla
6 Dominikaner Strasse
D-96049 Bamberg
Allemagne

Les bières fumées de la région de Bamberg constituent un lien puissant avec le passé, car elles tirent leur caractère de la manière dont on torréfie le malt, au-dessus d'un feu de bois de hêtre. La ville est célèbre pour son malt et ses brasseries qui perpétuent une tradition, perdue partout ailleurs, où l'on torréfie encore le malt comme le scotch whisky.

Heller-Trum est une brasserie représentative de cette tradition. Sa longue histoire remonte à une époque où la brasserie, à ses débuts, en 1678, se situait dans la taverne Schlenkerla. La bière était stockée dans des caves situées dans les collines avoisinantes jusqu'à ce qu'une forte demande les oblige à déménager.

Leur principal produit est une *rauchbier* appelée *Aecht Schlenkerla* (4,8 % ABV), "Aecht" signifiant "véritable" et "Schlenkerla" désignant la désormais célèbre taverne dont le nom fait référence à un vieux brasseur à l'allure de singe. Afin de produire la *Aecht Schlenkerla*, on utilise des cuves de cuivre à ciel ouvert où l'on procède à une première fermentation avant d'embouteiller le breuvage pour une durée de 2 mois. L'*Aecht Schlenkerla*, de couleur marron foncé, a un arôme de malt fumé qui lui donne un goût sec et légèrement fruité. Elle est cataloguée comme étant une *märzen* car elle était, au départ, brassée pour l'Oktoberfest.

La brasserie produit également un *bock* fumé et une *Helles*.

Bass Ale

Brasserie : Bass Brewers

Adresse : 137 High Street
Burton-on-Trent
Staffordshire
DE14 1JZ
Angleterre

Bass est l'une des trois plus grandes brasseries d'Angleterre et produit une gamme large, allant de la *Tennent's Lager* à la *Draught Bass*. Au fil des ans, Bass a fusionné avec bien d'autres brasseries, des grands noms comme la fameuse brasserie Burton, Worthington dans les années 1920 ou encore Charrington United Brewers, mais aussi de plus modestes comme la jeune brasserie d'Alloa en Écosse, le tout afin de devenir le grand groupe qu'il est à présent.

Sur les bouteilles de *Bass* se trouve un triangle rouge, qui commémore l'une des grandes fiertés de la marque : sa *pale ale* fut la première marque déposée britannique, la seconde étant représentée par le diamant rouge figurant sur les bouteilles de *Bass'No. 1*, une *barley wine*. Les *pale ales* de Bass descendent directement des *pale ales* traditionnelles, destinées au marché colonial. La *Draught Bass* est fabriquée à Burton à partir d'un simple malt d'orge, de deux types de houblon (le Challenger et le Northdown) et de deux variétés de levure, ce qui lui confère un arôme et un goût complexes.

Ses 4,4 % ABV ne font pas d'elle la bière la plus forte du marché, mais ses qualités restent indéniables, surtout si on la consomme à l'anglaise, à savoir pas trop froide.

À Birmingham, Cape Hill produit une *pale ale* en bouteille bien connue : la *Worthington White Shield*, 5,6 % ABV. Sèche, houblonnée et fruitée, avec un léger goût fumé, c'est l'une des rares *ales* conditionnées en bouteille en Angleterre.

BY APPOINTMENT TO
HER MAJESTY THE QUEEN
BASS BREWERS LIMITED
BURTON-ON-TRENT

THE IMPERIAL PINT

BASS BREWERS LIMITED · BREWERS IN BURTON ON TRENT SINCE 1777 ·

TRADE MARK

Bass

OUR FINEST ALE

Alc. 4.4% Vol.

Boddingtons Draught

Brasserie : Whitbread Beer Company

Adresse : Porter Tun House
Capability Green Luton, Bedfordshire
LU1 3LS
Angleterre

Whitbread est l'un des plus grands groupes de brasseurs anglais et possède de très nombreuses marques. Ses origines sont assez anciennes : Samuel Whitbread, petit brasseur londonien, se fit un nom et une fortune en ne produisant plus que de la *porter*. En 1760, il construisit la fameuse Porter Tun Room (Salle de tonneaux de Porter) sur Chiswell Street ainsi que de grandes cuves permettant de stocker la bière en pleine maturation. Aujourd'hui, la compagnie ne possède plus de brasserie à Londres (en 1992, pour ses 250 ans, une *porter* commémorative fut brassée à Castle Eden, Co Durham). Whitbread produit la *Mackenson*, la *Gold Label* et la bière présentée ici, qui, comme l'annonce son slogan publicitaire, est "la crème de Manchester".

La *Bodington* est effectivement mancunnienne – il s'agit de la plus vieille brasserie de Manchester, datant de 1778. Elle est située près du centre ville et fut très endommagée durant la Seconde Guerre mondiale. Il s'ensuivit un large programme de reconstruction et de modernisation. Le mot "crémeux" indique qu'elle sort bien à la pression – spécialement en canette, où le système révolutionnaire des "widgets" permet d'obtenir une bière bien crémeuse. Boddington produit aussi une *Mild*, sombre et à la douceur moyenne, et une *Best Mild* qui est plus forte. Ses bières en bouteille comprennent la *Bodington Light*, une *light dinner ale* qui possède presque un caractère de *lager*, la *Strong Ale* et la *Boddington Nut Brown*, une *brown ale* douce, ainsi que la *Bodington Extra Stout*.

DRAUGHT

DRAUGHTFLOW®
SYSTEM

CONTAINS BOTTLE WIDGET

JUL98
211K

BODDINGTONS SINCE 1778

ESTABLISHED

BREWED TO A UNIQUE NORTHERN RECIPE USING ONLY THE FINEST INGREDIENTS

TRADE · MARK

ALCOHOL 3.8%
BY VOLUME

BREWED IN MANCHESTER

DRAUGHT

Brewed & bottled by Boddingtons Brewery, Strangeways, Manchester.
Distributed by The Whitbread Beer Company. Whitbread plc. London EC1Y 4SD.

Brooklyn Lager

Brasserie : The Brooklyn Brewery

Adresse : 79 North 11th Street
Brooklyn
New York 11211
États-Unis

Il fut un temps où l'on comptait plus de 40 brasseries à Brooklyn, mais la Prohibition et la Grande Dépression les firent toutes fermer. La Brooklyn Brewery illustre la résurrection de la brasserie aux États-Unis. Elle fit revivre la vieille tradition des brasseries new-yorkaises dans les années 1980, même si ses bières étaient brassées sous licence, avant d'ouvrir sa première usine en 1996.

La brasserie fut fondée par Steve Hindy et Tom Potter, respectivement journaliste et banquier : ils firent appel à Bill Moeller, un brasseur renommé à la retraite, qui les aida à confectionner une *lager* (5,1 % ABV) obtenue après un houblonnage à sec et brassée à partir de malts clair et cristal. C'est une *lager* ferme et sèche, possédant un goût fortement malté avec des soupçons de fruits et de fleurs. Elle fut spécialement brassée – comme le suggère son slogan qui la qualifie de bière de la "pré-Prohibition" – pour reproduire la tradition de la *lager* d'avant la Prohibition.

La compagnie produit aussi la *Brooklyn Brown Ale* (6 % ABV), une *ale* à fermentation haute composée de malts clair, cristal, chocolat et noir, et houblonnée à sec. Elle a un arrière-goût de chocolat et de café, la finition étant sèche avec un léger goût de noisette. Brooklyn produit également la *Black Chocolat Stout* (8,3 % ABV), qui est devenue célèbre à juste titre. Elle est brassée à partir de malts clair et noir et possède un arôme fumé au léger goût de chocolat, ainsi qu'une finition houblonnée et sèche.

Budweiser Budvar

Brasserie : Budejovice Budvar

Adresse : Karoliny Svetle 4
370 21 Ceske Budejovice
République tchèque

En Bohême, région maintenant rattachée à la République tchèque, la ville de Ceske Budejovice possède une tradition de brassage très ancienne : dès le XVe siècle, la brasserie de la cour royale de Bohême était l'une des 40 brasseries de la ville, celle-ci étant référencée par les Allemands sous le nom de Budweis. Ses bières étaient connues sous le nom de *budweisers* et acquirent une renommée aussi importante que les *pilsens*.

Seules deux de ces brasseries sont encore en activité, la brasserie Samson (la Budweiser Bürgerbräu), qui date de 1795, et la Budweiser Budvar, qui date de 1895. Ces deux brasseries produisent d'excellentes *lagers*, dont la *Budvar* titrant 5 % ABV, une bière pure malt brassée avec du houblon Zatec, possédant un arôme malté avec un soupçon de vanille, un goût houblonné et une finition sèche et fruitée. On utilise dans sa préparation une double décoction combinée avec une première fermentation en cuve ouverte. Elle est ensuite entreposée pendant 3 mois, période assez longue mais qui permet d'obtenir une bière très réputée.

Malheureusement, la *Budvar* ne peut être vendue aux États-Unis du fait d'un contentieux légal avec la gigantesque brasserie Anheuser-Busch, fondée environ 25 ans avant la firme de Bohême. Cet élément fut déterminant lors du procès qui fit de la *Budweiser* de Saint Louis la seule bière à pouvoir être vendue sous cette appellation aux États-Unis. Toutefois, depuis la chute du communisme, Anheuser-Busch a fourni de gros efforts pour acheter une part du capital de la société tchèque. Il est donc possible que, dans un futur proche, la *Budvar* soit beaucoup plus disponible.

Caledonian 80/- Export Ale

Brasserie : Caledonian Brewing Company

Adresse : 42 Slateford Road
Edinburgh
EH11 1PH
Écosse

Créée en 1869 sous le nom de Lorimer & Clark pour fournir en bière le nord de l'Angleterre, la Caledonian fut rachetée par Vaux en 1919 et menacée de fermeture en 1987, avant d'être rachetée par un groupe d'investisseurs. Ainsi, des *ales* parmi les meilleures d'Écosse furent sauvegardées. On pourra donc apprécier la *80/-* (4,1 % ABV), bière riche au goût malté, la *Flying Scotsman* (5,1 % ABV), une *ale* pleine de goût combinant la meilleure orge écossaise avec les houblons anglais, et la *Golden Promise*, première *ale* organique du Royaume-Uni. On trouve aussi des *ales* en bouteille, comme la *Merman XXX* (4,8 % ABV), une bière extrêmement complexe où s'entremêlent le malt et des parfums qui subsistent longtemps après la dernière gorgée ; la *Scotch Ale* (7,2 % ABV) présente une intense couleur ambrée, sans posséder pour autant la douceur écœurante des bières de cette force.

Chimay Première

Brasserie : Abbaye Notre-Dame de Scourmont

Adresse : 294, rue de la Trappe
6438 Forges-lès-Chimay
Belgique

Le monastère trappiste de Chimay est le plus célèbre des monastères brasseurs et le premier à avoir entrepris un brassage commercial. Les moines produisent leurs *ales* de manière traditionnelle, par fermentation haute, à l'aide de l'eau tirée de leur propre puits, d'orges française et belge qui donnent un malt pâle, aromatisé aux houblons de Hallertauer et de la vallée du Yakima, et grâce à une levure fabriquée dans une brasserie locale (désormais fermée). Du sucre candy est également ajouté juste avant la mise en bouteille, pour une meilleure fermentation.

Chimay produit trois sortes d'*ales*, toutes reconnaissables à la couleur de leur bouchon. La *Chimay Rouge* (7 % ABV), qui est leur produit original, est également appelée *Première* et se vend en bouteilles de 75 cl ; de couleur cuivrée, elle est douce, avec un palais légèrement fruité. La *Chimay Blanche* (8 % ABV) est une bière pleine de corps, à la couleur pêche, au palais sec et houblonné, et au goût légèrement épicé et fruité. La *Chimay Bleue* (9 % ABV), millésimée, est la plus à même de vieillir en cave. C'est la plus forte des trois et elle possède un goût épicé, voire poivré, ainsi qu'un arôme fruité et une finition douce et sèche. Différentes cuvées sont en vente dans les restaurants proches de l'abbaye, pour le plus grand plaisir des connaisseurs.

Cooper's Sparkling Ale

Brasserie : Cooper's Brewery

Adresse : 9 Statenborough Street
Leabrook
Adelaïde
South Australia 5068
Australie

Les produits de Cooper, seule grande brasserie à perpétuer la tradition des *ales* après la révolution des *lagers* qui a balayé l'Australie, sont maintenant appréciés et reconnus mondialement. Fondée par Thomas Cooper, qui émigra du Yorkshire avec sa famille en 1852, la firme fut fondée en 1862 et reste de nos jours une entreprise familiale.

Son produit le plus célèbre demeure la *Sparkling Ale* (5,8 % ABV), une *ale* traditionnelle de fermentation haute, à la couleur cuivrée et à l'arôme houblonné. Elle est brassée à partir de malts clair et cristal avec du sucre de canne et du houblon granulé de Pride of Ringwood. La fermentation primaire s'effectuait dans des cuves de bois ouvertes mais, de nos jours, la brasserie en utilise des coniques. La bière est alors centrifugée et reçoit une certaine quantité de moût et de sucre qui permet une seconde fermentation en bouteille. On obtient ainsi une bière intense, pleine de goût et – malgré son nom – trouble à cause de la levure issue de la seconde fermentation.

Les autres bières produites par la brasserie Cooper sont la *Classic Stout* (6,8 % ABV), pour laquelle on ajoute du malt torréfié au clair et au cristal et qui possède un goût aux réminiscences de café, et la *Cooper's Dark* (4,5 % ABV), qui est obtenue grâce à la combinaison de malts torréfiés clair et cristal. Elle a un goût très fruité.

Coopers

Coopers are famous
this process which b
a natural residue of
during maturatio
gives a cloudy app
with an enhanced

NO ADDITIVES • NO PRESERVATIVES

COOPERS BREWERY LTD

BOTTLE FERMENTED

AT UPPER
KENSINGTON
BREWERY

NATURALLY BREWED

EST. 1862

SPARKLING ALE

AUSTRALIAN MADE • AUSTRALIAN OWNED

5ml

ALCOHOL APPROX 17.2g ALC/BOT

Diebels Alt

Brasserie : Privatbrauerei Diebels GmbH

Adresse : Brauerei-Diebels Strasse 1
47661 Issum
Düsseldorf
Allemagne

La *altbier* de Diebels – présentée comme la bière allemande la plus exportée – est fabriquée dans le nord-ouest de l'Allemagne par une brasserie familiale comptant parmi les plus vieilles du pays et située dans le petit hameau de Issum. Leur bière *alt* (vieille) est ainsi nommée en raison de son procédé de fabrication, la fermentation haute, que la plupart des brasseurs ont cessé d'utiliser avec l'apparition de la *lager* au XIXᵉ siècle.

Dans la région de Düsseldorf, la tradition de la *altbier* est cependant restée intacte et l'on y brasse encore un bon nombre de *ales* riches et maltées tirant généralement leurs couleurs du malt de Vienne ou du malt sombre. Elles étaient destinées, à l'origine, à étancher la soif des mineurs et des ouvriers sidérurgistes de la région. La meilleure façon, aujourd'hui, de goûter à une *alt* est de se promener dans l'Altstad, le vieux quartier de Düsseldorf, et de rendre visite à ses excellents pubs-brasseries tels le *Zum Uerige* ou le *Im Füchschen*.

Diebels produit également de l'*altbier* en bouteille, en utilisant du malt à *pilsner* avec 2 % de malt rôti et des houblons Perle et Northern Brewer auxquels on ajoute une levure vieille de 50 ans. On obtient ainsi une délicieuse bière cuivrée de 4,8 % ABV, à l'arôme malté, au goût légèrement amer et possédant une finition sèche, noisetée, avec un soupçon de fruit.

Dos Equis

Brasserie : Cervecaria Moctezuma

Adresse : 156 Lago Alberto
Mexico 11320
Mexique

Le véritable nom de cette bière était *Siglo XX*, nom qui faisait référence au siècle où la production commença. De nos jours, elle est devenue la *Dos Equis* qui, comme l'indique le logo, signifie "les deux croix" et fait référence aux deux croix inscrites sur les cuves de brassage. Il s'agit d'une *lager* ambrée (4,8 % ABV) de style viennois, au riche arôme fruité, possédant une finition sèche et houblonnée, au léger goût de chocolat et qui, de ce fait, possède plus de caractère et de parfum que la plupart des *lagers* d'Amérique latine, généralement insipides.

La *Dos Equis* est brassée depuis 1900. Elle l'a d'abord été par la Cervecaria Moctezuma dans la ville d'Orizaba (État de Veracruz dans le sud du Mexique). Elle est maintenant brassée par le groupe Moctezuma-Cuauhtemoc, le plus grand brasseur du Mexique, qui brasse également la *Sol* (voir page 80) ainsi que d'autres bières, dont une autre *lager*, plus proche de la tradition des *pilsners*, appelée *Bohemia*. Bière de type *lager*, caractérisée par sa couleur ambrée et son excellente qualité, un arôme étonnamment doux et un goût de malt et de houblon bien équilibré, la *Dos Equis* a un goût puissant, un bon corps et une couleur intense, ce qui en fait un parfait accompagnement pour tout type de repas. Disponible en version *Export*, on peut la trouver dans plus de 30 pays.

Duvel

Brasserie : Moortgat Brewery

Adresse : 58 Breendonk Dorp
2659 Puurs
Belgique

La brasserie Moorgat a été fondée en 1871 et produit des bières d'excellente qualité, comme des *ales* de type écossais et des *pilsners*. Cependant, sa fameuse gamme *Duvel* n'a été brassée que 100 ans après les débuts de la brasserie, en 1971. Son nom signifie "diable" en flamand et se prononce "douvel". Ce nom cache une anecdote intéressante : lorsque la bière fut brassée pour la première fois, l'un des employés s'exclama en la goûtant : "Voilà une bière du tonnerre du diable !" Le nom était trouvé. Utilisée de manière intelligente dans des publicités, cette bière a vu apparaître depuis un grand nombre de concurrents, mais aucun d'eux n'a pu atteindre le niveau de qualité de la *Duvel*.

Moorgat est une brasserie familiale qui utilise son propre malt, combiné avec des houblons Saaz et Styrian ainsi que deux types de levures différents. La *Duvel* suit un procédé de brassage compliqué : elle subit à la fois une fermentation à froid et une fermentation à chaud, pour être ensuite stockée en bouteille 1 mois pendant lequel elle subit une troisième fermentation. Bière pétillante à la couleur dorée, bien mûrie, ressemblant d'une manière trompeuse à une *lager*, la *Duvel* est une pur malt de fermentation haute, au goût séduisant et délicat, propre, doux et légèrement fruité, qui vient atténuer sa force (8,5 % ABV).

Servir une *Duvel* soulève un dilemme diabolique : doit-on la servir froide, dans un verre préalablement glacé, ou bien à température ambiante ? Les deux façons sont acceptables et n'affecteront en rien son bouquet de poire williams.

Anno *125* 1871
MOORTGAT

Duvel

SPECIAAL BIER VAN HOGE GISTING

Einbecker Mai-Ur-Bock

Brasserie : Einbecker Brauhaus

Adresse : 4-7 Papen Strasse
37574 Einbeck
Basse-Saxe
Allemagne

Au XIVᵉ siècle, Einbeck, avec ses 700 brasse-ries, était le principal centre du monde brassi-cole. Il n'y avait cependant que 10 maîtres brasseurs officiellement recensés, qui allaient, accompagnés de leurs ouvriers et avec leurs cuves de brassage, proposer leurs services de maison en maison. En 1612, la brasserie nais-sante Munich Hofbraühaus s'attacha les ser-vices du meilleur maître brasseur d'Einbeck. Il amena avec lui sa fameuse recette, la "Ein-becksche" : le mot devint en bavarois "Oan Pockisch", qui dériva en "Oan Pock" pour fina-

lement devenir "Bock". Cette bière peut être brune ou blonde et existe en différentes versions, la *doppelbock*, la *mailbock* et la *eisbock*. De fermentation basse, les *bocks* sont des bières assez fortes.

La brasserie Einbecker produit trois types de *bocks*, à l'arôme malté et à la finition sèche et houblonnée. La *Hell* en est la version la plus légère, la *Dunkel* est plus ronde, et la *Maibock*, disponible de mars à mai, est une bière rafraîchissante au goût tranché à la finition sèche légèrement maltée.

Freedom Premium Pilsener

Brasserie : The Freedom Brewing Co Ltd

Adresse : The Coachworks
80 Parson's Green Lane
Fulham
Londres SW6 4HU
Angleterre

La Freedom Brewing Company, première et seule microbrasserie de *lager* en Grande-Bretagne, n'a peut-être été fondée qu'en 1995, mais sa bière artisanale, la *Freedom Premium Pilsener* (5 % ABV), est déjà considérée comme la meilleure *lager* en bouteille du royaume.

La *Freedom* est une combinaison magique entre des levures bavaroises, des houblons américains et tchèques et du malt anglais. Le type de levure utilisé, vieux de plusieurs siècles et amené directement de la brasserie Spaten, est de fermentation basse. Les houblons sont des Liberty d'Amérique du Nord, une variété aromatique qui présente les caractéristiques très prisées du fameux houblon Hallertauer Hersbrücker mais qui possède également une odeur propre, et les fameux houblons Saaz de République tchèque. L'orge, du Maris Otter de l'est de l'Angleterre, est maltée à même le sol, de manière traditionnelle, et le malt est reconnu de par le monde, à juste titre, comme l'une des meilleures variétés disponibles à l'heure actuelle.

Avec tous ces ingrédients, la *Freedom* est brassée pendant 10 jours au moyen d'une fermentation à froid, pour être ensuite entreposée 4 à 6 semaines à une température de - 2 °C (cas unique en Angleterre), le tout en accord avec la Reinheitsgebot (loi allemande sur la pureté de la bière datant de 1516). Afin de garder son goût particulier, la bière n'est pas pasteurisée, et la brasserie se targue de pouvoir servir celle-ci à ses clients juste après le filtrage et la mise en bouteille.

Golden Gate Original Ale

Brasserie : Golden Pacific Brewing Company

Adresse : 1404 Fourth Street
Berkeley
Californie 94710
États-Unis

Le grand renouveau de la bière américaine, marqué par l'ouverture de centaines de micro-brasseries et de pubs à bière, pourrait, et ce serait bien normal, s'essouffler quelque peu. Il aura pourtant fait retrouver aux Américains le goût de la bière, qui n'est pas près de retomber malgré les efforts de certaines grosses compagnies.

La plupart des bières nouvellement produites sont des *ales* remontant aux origines de la bière sur ce continent, des bières amenées en Amérique par les immigrants européens avant la révolution de la *lager*. Bien que peu de compagnies américaines aient produit de la *brown ale*, quelques-unes s'y sont employées. Certaines ont même poussé le vice à l'extrême, en prenant l'appellation "nut brown" (marron noisette) au pied de la lettre et en ajoutant des noisettes à leur produit.

La *Golden Gate Original Brown Ale* (5,7 % ABV) est un exemple splendide, plein de corps, fruité, produit dans l'une des brasseries en plein développement de San Francisco. La Golden Pacific Brewing Company, une micro-brasserie, produit 7 200 tonneaux à l'année. Elle a déménagé de Emeryville pour Berkeley au début de l'année 1997 et paraît capable de continuer à produire une vaste gamme de bières incluant la *Golden Bear Lager*, la *Pale Ale*, la *Copper Ale* ainsi que la bière saisonnière *Hybernator*, qui titre 6,5 % ABV.

PureSeal

in small batches
by people who
love brewing and
sharing great beer.

GOLDEN GATE

A classic American style ale: big and
full-bodied yet delightfully refreshing. Rich
malt undertones and bright Yakima Valley
hops create an always interesting character.

ORIGINAL ALE

Grolsch Premium Lager

Brasserie : Grolsche Bierbrouwerij

Adresse : Eibergsweg 10
7141 CE Grolle
Pays-Bas

Comme pour bien des bières de renom, le goût et le parfum d'une bière ne sont plus aujourd'hui les clefs d'un succès assuré. Le produit se doit dorénavant d'avoir un bel emballage et d'être soutenu par une bonne publicité. La *Grolsch* possède ces deux atouts : qui n'a jamais vu son fameux bouchon en faïence ? Jusqu'à il y a peu, Grolsche n'était qu'une petite brasserie dans la ville de Grolle. C'est aujourd'hui la plus grande brasserie indépendante des Pays-Bas et elle est mondialement connue grâce à sa *Premium Lager*, fraîche et pétillante, mais aussi pour d'autres produits plus récents.

La *Grolsch*, une *lager* de type *pilsner*, est brassée à partir de cinq variétés de malts venant de Hollande, d'Angleterre, de Belgique, de France et d'Allemagne ; elle est parfumée avec des houblons Saaz et Hallertauer. Une petite quantité de maïs est également ajoutée au moût de malt afin d'obtenir son goût particulier bien équilibré (il peut cependant varier suivant la localité et le brasseur), la bière étant brassée sous licence à l'étranger. Grolsche possède maintenant une seconde brasserie à Entschede, et, en plus de la *Grolsch Pilsener* (nom donné à la *Grolsch Premium* aux Pays-Bas), produit une bière crémeuse et tranchée, la *Dark Lager* (*bock*), au goût de malt torréfié, une autre bière fraîche et pétillante, la *Dry Draft Pilsner* (*mei bock*), ainsi que la *Grolsch Ambrée*, chacune de ces bières étant très différente. Dans un style proche des *altbiers*, l'ambrée est une bière très plaisante, pur malt, avec un ajout de malt de blé afin de conserver son bouquet.

Guinness Original

Brasserie : Guinness Ireland Group Ltd

Adresse : St James's Gate Brewery
Dublin 8
Irlande

Le principal produit d'exportation irlandais a été créé en 1759 par Arthur Guinness, qui acheta une abbaye désaffectée à Dublin. Malgré les problèmes de famine et d'exode que l'Irlande allait traverser au cours du siècle suivant, l'entreprise continua à produire des *ales* puis des *porters* bénéficiant d'une excellente distribution dans tout le pays, grâce à une bonne utilisation du réseau ferroviaire et des canaux. Enfin, la marque abandonna l'appellation de *porter* et les bières Guinness connurent la notoriété en tant que *stouts*.

Engageant des campagnes de vente originales et accompagnant l'émigration irlandaise, Guinness eut un impact international et devint, au début du siècle, la première brasserie du monde. Le succès (et la publicité) aidant, Guinness s'agrandit, ouvrit une brasserie en Angleterre (Park Royal, à Londres) et plus tard, mais sans succès, une autre aux États-Unis.

La *Guinness* a perdu une grande partie de son caractère fruité au fil du temps, mais demeure l'une des *stouts* les plus sèches. Il en existe à l'heure actuelle 19 versions, à la pression ou en bouteille, brassées à partir d'un malt d'orge et d'un mélange de houblons anglais et américains. On utilise toujours la même levure que celle de Arthur Guinness. Elle travaille à une température de 25 °C et fermente rapidement, en 2 ou 4 jours.

La version "bouteille" de la *Guinness Original* subit une seconde fermentation grâce à l'ajout de moût dans les bouteilles. L'*Irish Draught Guinness* est aussi forte que l'*Original* (4,1 % ABV). L'*Export Draught* est plus forte (5 % ABV), celle brassée à Dublin pour le marché belge l'est plus encore (8 % ABV) ! La version la plus intéressante est sans doute la *Foreign Extra Stout* (7,5 % ABV), conservée dans des fûts de chêne du XVIIIe siècle, datant de la première brasserie Guinness.

Heineken Export

Brasserie : Heineken NV

Adresse : Tweede Weteringplantsoen 21
1017ZD Amsterdam
Pays-Bas

Basée à Amsterdam, Heineken est l'une des plus grandes sociétés de brassage du monde – deuxième producteur annuel derrière Anheuser-Busch – et le principal importateur aux États-Unis, avec un engagement technique dans plus d'une centaine de brasseries outre-Atlantique. Ses origines remontent à 1863, lorsque Gérard Heineken acheta la plus grande brasserie d'Amsterdam (De Hooiberg) qui datait du XVIe siècle. Depuis, Heineken n'a cessé de grandir, s'associant avec ses concurrents ou les rachetant au fil des ans : comme Amstel ou Brand, la plus ancienne brasserie hollandaise, datant du XIVe siècle.

Heineken produit une grande variété de bières célèbres, et se concentre depuis quelques années sur la production en masse de *lagers* en bouteille : la plus connue étant une *pilsner* claire et pétillante (5 % ABV), souvent critiquée pour sa douceur mais qui reste malgré tout l'une des *lagers* les plus vendues au monde.

Parmi les autres bières produites par Heineken, il faut citer la *Tarwebok* (5 % ABV), une bière de saison contenant 17 % de blé et possédant un caractère fruité complexe auquel s'ajoute un arrière-goût de chocolat. Les bières Amstel ont tendance à avoir plus de caractère que les Heineken et se distinguent par leur arôme léger et leur goût houblonné. On trouve l'*Amstel Bier* (5 % ABV), l'*Amstel Gold*, forte et houblonnée (7 % ABV), et l'*Amstel Bock*, autre bière de saison au goût malté et entier (7 % ABV). Heineken possède également Murphy en Irlande, brasseur d'une *irish stout* célèbre (4,3 % ABV).

Hoegaarden Bière Blanche/Wit

Brasserie : Brouwerij De Kluis

Adresse : Stoopkensstraat 46
3320 Hoegaarden
Brabant
Belgique

La région du Brabant posséda jusqu'à 30 brasseries et plus, qui faisaient des bières de froment célèbres pour leurs additions d'herbes, d'épices et de fruits. Elles ont lentement décliné, la dernière ayant fermé ses portes à la fin de la Seconde Guerre mondiale. Puis, dans les années 1960, un brasseur indépendant du nom de Pierre Celis fit revivre la tradition, appelant sa brasserie De Kluis (le Cloître) en mémoire des moines qui avaient découvert le procédé. Sa *Hoegaarden* devint l'un des leaders dans la résurgence des bières blanches.

La *Hoegaarden* (5 % ABV) est issue d'un mélange à parts égales de froment non malté et de malt d'orge, épicé avec de la coriandre et du curaçao. Une variété de levure à fermentation haute et un second apport de levure, conjointement avec du sucre, au moment de la mise en bouteille permettent d'obtenir une seconde fermentation. Le résultat est une bière blanche trouble, à l'arôme épicé et à la finition tranchée et fruitée.

Hoegaarden produit également la *Grand Cru* (8,7 % ABV), une bière épicée où l'on n'utilise que de l'orge maltée. Elle possède une bonne texture et un goût bien équilibré. On trouve aussi la *Verboden Vrucht* (Fruit défendu), une bière pur malt couleur rubis titrant 9 % ABV, fabriquée à partir de houblons Styrian et Challenger additionnés d'une touche de coriandre afin d'obtenir une *strong ale* fruitée et épicée. Hoegaarden fut racheté par le géant de la brasserie Interbrew et son père fondateur, Pierre Celis, s'installa aux États-Unis en 1992. Sa brasserie, située à Austin, fut rachetée par Miller et le brillant Pierre Celis revint en Europe.

Kingfisher

Brasserie : United Breweries Group Ltd

Adresse : Bangalore
Inde

Il existe plus de 70 sortes de *Kingfisher* dans le sous-continent indien, mais il n'existe qu'une seule *Kingfisher Lager*, la plus vendue en Inde avec à elle seule environ 25 % d'un marché de 900 millions de clients potentiels, c'est-à-dire plus que conséquent.

La *Kingfisher* est une douce *lager* maltée (4,8 % ABV) où l'on note une bonne présence de l'orge et juste quelques nuances houblonnées. Elle doit reposer un minimum de 8 semaines. Agréable et rafraîchissante, elle convient parfaitement à la cuisine indienne, notamment aux plats de curry, et elle est vendue dans plus de 6 500 des 7 000 restaurants indiens.

Kingfisher est la marque étendard de United Breweries (U.B.), dont le siège est aujourd'hui à Bangalore. U.B. est née en 1857 avec Castle Breweries. En 1915, l'Écossais Thomas Leishman réunit Castle et quatre autres brasseries du sud de l'Inde pour former U.B., qui est devenue un important conglomérat possédant 13 brasseries en Inde et opérant dans 20 pays, dont les principaux marchés mondiaux de la bière, ce qui prouve que nous sommes bien loin de la modeste brasserie des débuts.

Ainsi, la *Kingfisher* est à présent disponible dans plus de 31 pays et est brassée sous licence en Angleterre par Shepherd Neame ; c'est de là qu'elle est exportée aux États-Unis. La *Kingfisher* brassée par Shepherd Neame remporta la médaille d'or dans la catégorie *pale lager* au Championnat du monde de bière de 1997 à Chicago. Cette médaille vint s'ajouter aux deux de Best Lager Awards obtenus en Suède en 1994 et en 1995. U.B. produit également la *U.B. Export* et la *Kalyani*.

Labatt Ice

Brasserie : Labatt Breweries of Canada

Adresse : 150 Simcoe Street
London
Ontario N6A 4M3
Canada

Labatt est la première des trois plus grandes brasseries canadiennes (les deux autres étant Carling et Molson) et ce, même si elle appartient au géant belge Interbrew depuis 1995. Labatt possède Rolling Rock (producteur d'une *lager* éponyme à Pittsburgh, États-Unis) et Birra Moretti, le principal rival de Peroni en Italie.

Les bières Labatt sont rafraîchissantes et douces et se déclinent en une large gamme : la *Blue Lager*, la *Classic Lager*, l'*IPA*, la *Duffy's Red Ale*, la *Porter*, la *Schooner*, la *Kokanee* et bien sûr la *Ice*, créée en 1993, qui est une des figures de proue de la marque. Elle a bénéficié d'un développement consciencieux pour convenir aux goûts modernes des buveurs de bière, ainsi que d'une bonne publicité. Ce fut la première bière du genre, qui ouvrit la voie à de nombreuses imitations.

La *Ice* est obtenue par brassage rapide, et grâce à une chute de température telle, en cours de fermentation, que des particules de glace se forment. Celles-ci, ainsi que des protéines indésirables, sont retirées grâce à un système de filtrage très efficace. Le résultat donne une bière cristalline et acide, quasiment sans goût bien qu'elle soit assez forte (5 % ABV). Il est intéressant de signaler que, suite à une loi gouvernementale canadienne qui interdit aux brasseurs de transporter de la bière d'une province à une autre (pour protéger les petites brasseries), Labatt, tout comme ses concurrents, brasse sa bière dans tout le Canada. La *Labatt Ice* est ainsi brassée à Edmonton dans l'Alberta, à St John's, à Terre-Neuve, à Halifax en Nouvelle-Écosse, à New Westminster en Colombie-Britannique ainsi qu'à London dans l'Ontario.

Liefmans Kriek

Brasserie : Brouwerij Liefmans NV

Adresse : Aalst Straat 200
9700 Oudenaarde
Belgique

Il paraît toujours étrange d'ajouter des fruits à
la bière. C'est pourtant ce que fait chaque
année la brasserie Liefmans en ajoutant des
cerises et des framboises à sa *brown ale* plutôt
(comme c'est souvent le cas) qu'à une *lambic*.

Fondée en 1679 à Oudenaarde, dans l'est
des Flandres, Liefmans fait partie depuis 1990
du groupe Riva (basé à Dentergem, dans
l'ouest des Flandres). La brasserie produit des
bières brunes semblables à leurs homologues
anglaises (usage de levures de fermentation
haute, le moût étant cuit à feux doux pendant
une nuit entière), et est également leader dans
la production de bières aux fruits. Le fardage
et le brassage sont effectués dans l'ouest des
Flandres avant que les levures de fermentation
haute ne soient ajoutées à Oudenaarde.

Liefmans produit la *Oud Bruin* (5 % ABV),
une bière brune typique obtenue grâce à une
sélection de malts de Munich, de Vienne et de
Pilsner, et de houblons anglais, allemands et
tchèques. La *Goudenband* (8 % ABV), version
plus forte et plus sophistiquée qui est fabriquée
avec plus de levures, subit une période de maturation additionnelle de 6 à 8 mois qui donne une
bière riche et complexe, aux soupçons de fruits
et d'épices, avec une finition sèche et houblonnée. Une fois par an, pendant la période de la
moisson, on ajoute des framboises et des cerises,
ainsi que de la levure, à la *Goudenband*. Cette
utilisation de fruits frais, alors que d'autres se
servent de sirops, permet d'obtenir deux spécia-
lités de bières aux fruits, la *Kriek* (6,5 % ABV) et
la *Frambozen* (4,5 % ABV). Bouchées à la main,
les bières étaient jadis mises en bouteille dans
des demi-bouteilles de champagne rachetées à
des restaurants parisiens.

Marston's Pedigree

Brasserie : Marston, Thompson and Evershead

Adresse : Shobnall Road
Burton-on-Trent
Staffordshire
Angleterre

John Marston construisit sa première brasserie à Burton-on-Trent en 1834. On était alors à l'apogée de la révolution des *pale ales*, qui vit ces bières légères et houblonnées remplacer les *stouts* et les *porters*, et le cœur de l'industrie brassicole passer de Londres à Burton.

La petite ville de l'est des Midlands, célèbre dès le Moyen Âge pour ses bières, bénéficie en abondance d'une eau de source remarquable, riche en magnésium et en sels minéraux, qui donnent son caractère pétillant aux *pale ales* et intensifient l'amertume du houblon, permettant aussi une meilleure fermentation.

Marston est encore aujourd'hui l'un des symboles de l'apogée des brasseries anglaises. Elle reste la seule brasserie de Burton – et d'ailleurs la seule brasserie au monde – à utiliser la méthode de fermentation de l'Union Room, méthode qui se caractérise par l'usage d'une série de cuves de chêne reliées entre elles. C'est cette méthode qui donne à la *Marston's Pedigree*, la bière étendard de la marque, son caractère subtil et complexe.

La *Pedigree*, une *bitter* titrant 4,5 % ABV, est une *ale* traditionnelle, dorée, offrant d'un équilibre subtil entre le malt et un parfum entier mais non astringent. Elle a un arôme houblonné et sec et un goût particulier, qui est spécifique aux bières de Burton : sec avec un léger caractère sulfureux. C'est l'une des trois principales bières de Marston, les autres étant la *Marston's Bitter* et la *Owd Rodger*.

ONE IMPERIAL PINT

MARSTON'S

Pedigree

BITTER

BREWED IN BURTON ON TRENT USING YEAST FROM THE BURTON UNION SETS

ALCOHOL 4.5% BY VOLUME

Molson

Brasserie : Molson Breweries

Adresse : 175 Bloor Street East,
North Tower,
Toronto
Ontario M4W 3SS4
Canada

L'un des géants de la brasserie canadienne, Molson, a fusionné avec Carling en 1989 et possède également des parts dans d'autres grandes sociétés internationales. Fondée en 1782 par un Anglais, Molson peut se targuer d'être la plus vieille brasserie d'Amérique du Nord. C'est pourquoi elle est la seule à produire des bières de type anglais et ce, même après la fermeture des brasseries canadiennes, entre 1914 et 1932, lorsque le gouvernement canadien promulgua une Prohibition qui, bien que moins connue, fut tout aussi restrictive que celle des États-Unis.

En 1993, Molson lança les *Molson Signature*, une série de bières 100 % pur malt. On compte parmi elles la *Amber Lager* (solide et maltée), la *Cream Ale* (légère et fruitée, de couleur claire et à la finition sèche), la *Golden* (légère et fruitée), l'*Export* (légère, avec un soupçon de fruits et d'épices), la *Stock Ale* (à la finition houblonnée), la *Rickard's Nutbrown* (faible de corps, avec un léger goût de caramel et de café) et la *Brador* (une liqueur de malt).

Parmi les *lagers*, il faut citer la *Molson Canadian* (à la finition propre et sèche), la *Carling Black Label* (légèrement acide), l'*Old Vienna* (assez douce) et la *Molson Ice* (pétillante et fruitée, à l'arôme parfumé).

Newcastle Brown Ale

Brasserie : Scottish and Newcastle Breweries

Adresse : Tyne Brewery
Gallowgate
Newcastle-upon-Tyne NE99 1RA
Angleterre

La *Newcastle Brown Ale* est la bière en bouteille la plus vendue en Angleterre, et elle est exportée partout dans le monde. C'est une *brown ale*, un type de bière produit au départ pour concurrencer les *pale ales* du centre de l'Angleterre. Elle est brassée par l'une des plus grandes brasseries du nord de l'Angleterre, la Scottish and Newcastle Breweries, maison fondée en 1960, lorsque Newcastle Breweries fusionna avec la brasserie McEwan's and Younger's, située à la frontière de l'Écosse. Le groupe ainsi formé constitue l'un des plus grands et des plus influents brasseurs de Grande-Bretagne.

Brassée pour la première fois dans les années 1920 par le colonel Porter, la *Newcastle Brown* fut commercialisée en 1927. C'est un mélange de deux bières produites spécialement en vue de cet assemblage – l'une marron foncé, et l'autre ambrée – et de quatre types de houblons différents. On y ajoute ensuite des malts cristal et caramel. Au final, on obtient une bière maltée bien particulière, de couleur rouge-brun foncé, douce mais cependant assez alcoolisée (4,7 % ABV), qui a connu une popularité immédiate. Aujourd'hui, la *Newcastle Brown Ale* constitue un élément traditionnel des bords de la Tyne, surtout depuis que son logo est arboré par les joueurs de l'équipe de football de première division Newcastle United.

Peroni Nastro Azzurro

Brasserie : Birra Peroni Industriale

Adresse : Via Mantova 24
1 - 00198 Rome
Italie

Peroni produit la *Nastro Azzurro* et la *Raffo*, deux *pilsners* légères et bien équilibrées. La *Nastro Azzurro* – qui signifie "ruban bleu" – est une *pale lager premium* d'exportation apparue en 1964 et qui, en tant que *lager*, remporta un trophée mondial à Pérouse. Aujourd'hui encore, plus de 30 ans après sa naissance, son goût sec, aux senteurs de houblon, est très prisé des amateurs. La *Nastro Azzurro*, de couleur jaune paille, contient 5,2 % d'alcool par rapport au poids.

Peroni prend ses racines à Vigevano, où la maison fut fondée en 1846. Aujourd'hui, la plupart des bières Peroni sont brassées dans l'une des cinq brasseries mères : à Padoue, à Rome, à Naples, à Battipaglia et à Bari. Peroni possède de plus un grand entrepôt à San Cipriano, dans la province de Pavie.

Les chiffres de la production de Peroni sont impressionnants : elle peut produire 280 000 litres de moût par jour, la capacité de mise en bouteille du groupe est de 400 000 bouteilles par heure, 110 000 canettes par heure et 1 800 barillets par heure. La capacité de stockage des entrepôts est de 60 000 000 litres de bière. Tout ceci garantit à Peroni une place conséquente sur le marché italien mais aussi mondial.

Pilsner Urquell

Brasserie : Urquell Brewery

Adresse : Plzensky Prazdroj
30497 Plzen
République tchèque

La *Pilsner Urquell* fut la première et la meilleure des *lagers* dorées au monde, avec des parfums de malt et de houblon complexes. Son caractère s'est toutefois amoindri depuis que la brasserie a remplacé ses cuves de fermentation en bois par des cuves modernes, coniques et en acier inoxydable. Le procédé de fermentation s'en est trouvé modifié, ainsi que le résultat, son goût et son arôme complexe se transformant en quelque chose de plus simple, proche des *pilsners* allemandes, plus sèches et plus âpres. Toutefois, l'eau de source locale (la source se situe dans la brasserie même) est restée l'une des constantes, tout comme les trois types de fleurs de houblon Saaz qui sont utilisés pour leurs goûts bien distincts. La *Pilsner Urquell* reste donc une bière d'exception, fraîche et pétillante, et elle est vendue partout dans le monde.

Son nom désigne cette bière comme étant la *pilsner* d'origine, afin de l'opposer aux myriades d'imitations existantes. Pilsner veut dire "de Pilsen", ville située en Bohême, et Urquell signifie "source originelle". La tradition de fabrication de cette bière découle d'ailleurs directement des droits de brassage accordés à la ville de Pilsen en 1295 par le roi Wenceslas.

Malheureusement, la *Pilsner Urquell* perd de sa pétillance houblonnée lorsqu'elle est transportée. Toutefois, sa finition douce et maltée reste présente, tout comme sa couleur dorée et sombre. Elle reste donc meilleure que la plupart de ses rivales.

St. Stan's Red Sky Ale

Brasserie : Stanislaus Brewing Company

Adresse : 821 L Street
Modesto
Californie 95354
États-Unis

Cette microbrasserie s'est spécialisée dans les *altbiers*, des bières produites grâce à des levures de fermentation haute, mais qui sont ensuite entreposées dans des caves à basse température avant la mise en bouteille, ce procédé étant utilisé pour la production de *lager*.

Les origines de la *St. Stan's* remontent à 1973, lorsque Garith Helm et sa femme Remy commencèrent à brasser de la bière de style allemand, d'abord par amusement, après qu'ils en eurent apprécié le goût au cours de vacances familiales. Ils en produisirent de si bonne qualité et si grande quantité qu'en 1981 ils durent établir une brasserie dans une ancienne étable à Modesto, dans le comté de Stanislaus, en Californie, plus précisément dans la Central Valley, où le climat est très chaud. Le succès fut tel qu'ils durent bientôt construire une brasserie encore plus grande, dans le centre de Modesto. Elle ouvrit ses portes en 1991, avec une production de quelque 12 000 tonneaux par an. On peut la boire sur place, dans ce qui est le plus grand pub-brasserie de la Californie.

St. Stan's est le plus grand producteur de *altbiers* aux États-Unis. Il en produit trois types : ambrée, brune et "Fest". Son dernier produit est la *Red Sky Ale*, une *ale* de fermentation haute conditionnée à froid, qui est assez forte : 5,9 % par volume. Brun foncé, elle se distingue par un goût de houblon âpre.

Hürlimann's Samichlaus

Brasserie : Brauerei Hürlimann AG

Adresse : PO Box 654
8027 Zurich
Suisse

Pendant bien des années, la *Hürlimann Samichlaus* (dont le nom signifie "Père Noël d'Hürlimann") fut considérée comme la bière la plus forte du monde avec ses 14 % ABV. Elle est brassée à partir de souches de levure très pures avec une fermentation basse, avant d'être entreposée pendant 1 an.

Fondée en 1836 par Albert Hürlimann, l'entreprise devint leader dans le développement de levures nécessaires pour la fermentation basse et d'autres types de bières, l'une de ces levures fermentant la bière jusqu'à de hauts niveaux d'alcool. En 1979, cette levure fut utilisée pour le brassage d'une bière de Noël forte suffisamment populaire pour être produite désormais chaque année. La bière, brun-rouge, contient un mélange de malts clair et foncé, avec trois types de houblons différents, Hallertauer, Hersbrücker et Styrian. La levure doit travailler énormément lors du brassage : la bière est donc transférée de cuve en cuve pour que la levure ne "s'endorme" pas.

La *Samichlauss* n'a pas la douceur écœurante des bières extrafortes grâce à sa longue période de maturation. Elle est brassée chaque année – la bouteille prétendant que le brassage a lieu le 6 décembre, jour de la Saint-Nicolas – et n'est mise en vente que 1 an après. On la sert alors dans un verre à cognac afin de la déguster lentement.

À consommer avec modération !

Samuel Adams Boston Lager

Brasserie : The Boston Beer Company

Adresse : The Brewery
30 Germania Street
Boston
Massachusetts 02130
États-Unis

La Boston Beer Company illustre parfaitement l'évolution du monde de la brasserie aux États-Unis, depuis le milieu des années 1980. Très bien distribuées, les excellentes bières de ce brasseur ont été parfaitement commercialisées, comme on pouvait s'y attendre en connaissant le fondateur de la société : Jim Koch.

Koch est issu d'une famille où l'on était brasseur depuis cinq générations. Une tradition qui semblait devoir s'éteindre lorsqu'en 1956 le père de Jim prit sa retraite. Mais la passion du brassage était en lui et, après ses études, le jeune Koch se lança dans la brasserie. Sa première bière, la *Boston Lager*, sortit en 1985 et était produite à Pittsburgh. Depuis 1988, la société a délaissé la Boston Haffenreffer Brewery, fondée en 1865 et fermée un siècle plus tard.

Les principaux produits de la compagnie sont la *Adams Boston Ale*, la version bouteille de la bière brassée sous licence à F.X. Matt, et la *Boston Lager*, à la couleur dorée avec des nuances de bronze, au goût malté délicatement épicé, à l'arôme fleuri et à la finition sèche. Elle est houblonnée trois fois pendant la cuisson, avec des houblons Fuggles et Saaz puis une fois encore pendant le conditionnement avec du Kent Goldings. La brasserie produit aussi une *wheat beer*, la *Samuel Adams Wheat*, bière chaleureuse aux arrière-goûts de fruits.

Hallertau
'Tettnang
two-row
and pure
American
rich robust
taste. Cheers

SAMUEL   ADAMS

SAMUEL ADAMS

· BREWER · PATRIOT ·

BOSTON   LAGER

4.8% vol.   THE BEST BEER IN AMERICA™   330 m

Schneider Weisse

Brasserie : G. Schneider & Son

Adresse : 1-5 Emil Ott Strasse
8420 Kelheim
Bavière
Allemagne

Georg Schneider, père fondateur de la maison, se vit attribuer en 1872 par les Wittelsbach (la famille princière de Bavière) le droit de brasser sa première bière de froment. La maison Schneider en produit encore, allant ainsi à contre-courant de tous ses concurrents. Sa bière fut si bien accueillie qu'il fallut ouvrir une seconde brasserie, à Kelheim. Elle deviendra la brasserie principale de la société après la destruction de la première lors de la Seconde Guerre mondiale.

Les bières de froment sont élaborées à partir d'un mélange de malts de froment et d'orge. L'orge joue un rôle essentiel, car elle contient une bonne proportion d'amidon qui sera ensuite transformé en sucre, et possède aussi une enveloppe qui joue un rôle de filtre. Le blé, utilisé seul, boucherait les cuves de brassage. La levure, de fermentation haute, est utilisée aussi bien pour la première que pour la seconde fermentation. La seconde fermentation intervient dans la brasserie même, lorsque les bouteilles sont placées en caisses, pour un parfait contrôle sur le produit. Au final, on obtient une bière de froment très pétillante et rafraîchissante.

La brasserie Schneider continue à suivre la recette originale, utilisant la même levure que celle de Georg Schneider. Aucune modification n'a été apportée, de peur qu'un changement ne vienne affecter le résultat : la fameuse *Schneider Weisse* (5,4 %), à la couleur bronze, aux soupçons de fruits et de clou de girofle, à l'âpreté désaltérante et à la finition longue.

La compagnie produit aussi la *Weizen Hell* et la *Aventinus* (8 %), une *bock* forte obtenue à partir de malts cristal et caramalt de Bamberg, de couleur sombre, fruitée et douce, avec un arôme épicé et une finition douce.

Sierra Nevada

Brasserie : Sierra Nevada Brewing Company

Adresse : 1075 East 20th Street
Chico
Californie 95928
États-Unis

La Sierra Nevada Brewing Company fut parmi les premières, et sans doute la meilleure, des microbrasseries de nouvelle génération qui fleurirent en Amérique du Nord dans les années 1980. Fondée par Ken Grossman et Paul Camusi en 1981, elle a acquis depuis la célébrité.

Sa *Sierra Nevada Draught Ale* est plus douce que son excellente *pale ale*, parfait équilibre entre un goût de houblon sec et la saveur piquante de sa levure de fermentation haute. Sierra Nevada produit aussi une excellente *dry porter* et une *stout* (6 % ABV) plus douce. Il existe également une bière de Noël, la *Celebration Ale*, au caractère différent chaque année.

Sans doute la bière la plus connue des aficionados, la *Big Foot Barley Wine*, est-elle l'une des bières les plus fortes aux États-Unis (12,5 % ABV) et constitue-t-elle un grand classique. Conçue à partir de malt foncé et de houblons Nugget, Cascade et Centennial, elle est gardée quatre semaines avant d'arriver à maturation. Elle possède un profond arôme de houblon et un goût épicé, fortement fruité et alcoolisé.

PALE ALE

...s a handmade natural ale. There are no additives, ...
... malts, whole hops, brewer's yeast and crystal clear w...
... layer of yeast in each bottle is a result of the Kraeus...
...s which produces carbonation naturally in the b...

Purest Ingredients

Finest Quality

SIERRA NEVADA®

PALE ALE

NET CONTENTS 12 FL. OZ.

© 1989 S.N.BR. CO.

CA REDEMPTION VALUE ALC 5.6% BY VOL.

GOVERNMENT WARNING: (1) ACCORDING TO THE SURGEON GENERAL...

BREWED & BOTTLED BY SIERRA NEVADA BREWING CO., CHICO, CA

Sol

Brasserie : Cervecaria Moctezuma

Adresse : 156 Lago Alberto
Mexico 11320
Mexique

La plus grande exportatrice des brasseries mexicaines fut aussi l'une des plus petites jusqu'à ce qu'elle fusionne avec le groupe Cuauhtemoc. Son produit principal – avec la *Corona de Modelo* – a conquis le monde dans les années 1980, où l'on vit les bières mexicaines, avec leur bouteille transparente et leur rondelle de citron en accompagnement, devenir le nec plus ultra de la mode dans tout l'Occident.

La mode, sûrement, l'emporta sur le goût de la bière et c'est pourquoi, aujourd'hui, les connaisseurs semblent se détourner de ce qui est pourtant une *lager* au goût très agréable. Sans prétention et désaltérante, elle est suffisamment légère (4,5 % ABV) pour accompagner toutes sortes de plats.

La *Sol*, qui signifie "soleil" en espagnol, possède une tradition centenaire. Quelques années seulement après son lancement, la *Sol* remporta une médaille d'or à l'Exposition universelle de Paris. Depuis lors, elle a captivé le marché mexicain, mais aussi mondial, par la légèreté de son goût. Cette bière à la couleur dorée étincelante et à l'arôme malté est subtile et rafraîchissante ; grâce à ses caractéristiques inégalées, la *Sol* a acquis une place de choix auprès des consommateurs dans de nombreux pays.

Cuauhtemoc brasse également la *Dos Equis* (voir page 36), une excellente *lager* dans le style viennois, et la *Bohemia*, qui s'apparente plus à une *pilsner*.

IMPORTED BEER

Sol

CERVEZA

DESDE 1899

BIER BIRRA BIERE

PRODUCT OF MEXICO
BREWED AND BOTTLED BY:
CERVECERIA CUAUHTEMOC MOCTEZUMA.
S.A. DE C.V.   ORIZABA, VER.

33cl ℮   4.5% alc./vol.

Reg. S.S.A. No. S1555 "B" HECHO EN MEXICO MARCA REGISTRADA

Staropramen

Brasserie : Prazske Pivovary (Prague Breweries)

Adresse : Nadrazni 84, 105 54
Prague 5-Smichov
République tchèque

Prague peut être considérée comme l'une des capitales mondiales de la bière, au même titre que Munich, et ses habitants sont tous fiers des brasseries locales, dont Prazske Pivovary fait partie. *Staropramen* signifie en tchèque "la vieille source" et, effectivement, l'eau de source locale est l'un des principaux éléments qui donnent son caractère à cette bière.

La brasserie Staropramen commença la production de ses fameuses *lagers* en 1869 et a depuis fusionné avec deux autres brasseries de Prague. Plus récemment, le groupe de brasseries britannique Bass a énormément investi dans les brasseries de Prague, en encourageant fortement la tradition de fermentation en cuves horizontales. En suivant le procédé de seconde fermentation, les sucres de malt se transforment moins en alcool, ce qui augmente le côté malté de la bière et vient équilibrer le goût de houblon, donnant une bière pleine de corps. Bass se charge directement de l'exportation de la *Staropramen* dans le monde.

La version blonde ou légère de la *Staropramen* titre 5 % ABV ; elle est pleine de corps, avec un goût bien tranché. Sa version plus foncée fait 4,5 % ABV et possède une robe brun-rubis avec un palais velouté et une finition pleine et riche.

Steiner Märzen

Brasserie : Schlossbrauerei Stein

Adresse : Schlosshof 2
83371 Stein a.d Traun
Allemagne

Datant de 1489, Schlossbrauerei (la "brasserie du château") est l'un des joyaux méconnus du monde de la bière. La brasserie utilise des caves naturelles qui furent agrandies lorsque la demande de production augmenta. Ces caves en pierre naturelle garantissent une température constante nécessaire au stockage de ces bières de fermentation basse.

En plus de son *Export Hell* (sa meilleure vente), de sa *pils*, de sa *weissbier* et de son *Ur-Dunkel*, Schlossbrauerei Stein produit l'une des dernières bières de mars authentiques. La brasserie utilise 100 % de malts torréfiés, un fardeau de décoction, une fermentation à froid, la bière étant longuement entreposée à froid. La *märzen* possède un merveilleux goût malté et fruité très complexe et titre 5,5 % ABV.

Suivant la tradition, la *Steiner Märzen* est brassée en mars et servie pendant tout l'été dans de nombreux festivals, où elle n'est disponible que non filtrée et en chopes de 1 litre.

L'autre produit classique de la brasserie est une *dunkel* complexe, au goût de noisette et de caramel. Sa couleur rouge grenat est obtenue grâce à l'utilisation exclusive de malts sombres et torréfiés. Ces deux bières sont toutes deux très réputées dans leurs catégories respectives.

Stella Artois Dry

Brasserie : NV Interbrew SA

Adresse : Vaarstraat 94
3000 Louvain
Belgique

Le géant de la brasserie Interbrew, un des premiers groupes brassicoles du monde, résulte de la fusion de Stella Artois à Louvain et de Piedbœuf à Jupille-sur-Meuse. L'histoire de Stella remonte à la taverne Den Horen qui commença à brasser de la bière dès 1366. En 1717, elle fut rachetée par l'un de ses jeunes maîtres brasseurs : Sébastien Stella. Ses descendants poursuivirent le développement de la brasserie et rachetèrent d'autres brasseries de Louvain, consistant l'un des plus grands groupes européens. Ils s'adaptèrent aux nouvelles méthodes de stockage à la fin du XIXᵉ siècle et produisirent dès lors une bière dorée de fermentation basse appelée *bock*. Mais la société ne décolla véritablement qu'avec le lancement d'une *pilsner* forte – la *Stella Artois* – en 1926.

Elle est fabriquée selon des méthodes traditionnelles, avec les malts préparés à même le sol plutôt que dans des cuves. Elle est ensuite brassée avec des houblons tchèques de type Saaz qui donnent au produit fini un caractère épicé. La bière est ensuite entreposée pour une période de 2 mois. Brassée pour la première fois comme bière de Noël (d'où le nom de Stella, qui signifie "étoile"), elle devint vite si populaire qu'elle fut brassée tout au long de l'année. Un marketing adapté et des publicités intelligentes ont assuré le succès de son exportation ; elle est désormais brassée sous licence dans de nombreux pays. Interbrew produit également la *Jupiler* (5 % ABV), lancée en 1966, ainsi que la *Lamot Pils*.

Tsingtao

Brasserie : Tsingtao Brewery

Adresse : 56 Dengzhou Road
Tsingtao
Shandong 266021
Chine

La Chine est le deuxième pays brassicole du monde, même si, jusqu'au siècle dernier, les boissons alcoolisées chinoises étaient exclusivement ou presque à base de riz. L'ouverture de la Chine aux influences du monde occidental au XIXᵉ siècle permit cette évolution, et la brasserie Tsingtao s'établit sur la péninsule de Shandong, avec le soutien de la technologie allemande.

L'investissement se révéla rentable et, aujourd'hui, la *Tsingtao* est le premier produit de consommation exporté de Chine. Introduite aux États-Unis en 1972, la *Tsingtao* est la bière chinoise la plus vendue en Amérique ; on peut également la trouver dans plus de 30 pays dans le monde. La *Tsingtao* représente ainsi 90 % des exportations de bière chinoise.

La *Tsingtao* est une *lager* claire de type *pilsner* (5,2 % ABV), au goût et à l'arôme houblonnés et maltés, avec une finition sèche. Elle accompagne parfaitement la cuisine chinoise et a ainsi pu bénéficier, après guerre, du développement des restaurants chinois en Europe et ailleurs dans le monde.

La *Tsingtao* est produite grâce à de l'eau de source du Laoshan, une zone montagneuse célèbre dans toute la Chine pour la pureté de son eau. Les houblons domestiques utilisés pour brasser la *Tsingtao* sont d'une telle qualité qu'ils sont exportés en Europe vers d'autres brasseries. Tsingtao utilise également les meilleures orges et levures importées d'Australie et du Canada pour son brassage.

Tusker

Brasserie : Kenya Breweries

Adresse : Thika Road
Ruaraka
Nairobi
Kenya

Les hautes altitudes des plateaux équatoriaux du Kenya facilitent la culture du houblon et de l'orge, et donc le brassage. C'est ce que comprirent les Anglais dans les années 1930. Soucieux d'un confort domestique optimal, ils firent venir des équipements et un brasseur de Burtonwood, en Angleterre. Ils fondèrent les East African Breweries (qui deviendront par la suite les Kenya Breweries) afin d'étancher la soif des buveurs de bière locaux.

La *Tusker Premium* (4,8 % ABV) est brassée à partir de 90 % de malt d'orge kenyan et 10 % de sucre de canne local, avec des houblons importés Hallertauer et Styrian. Cette combinaison donne une bière blonde de type *pilsner*, aromatique et délicate, aux nuances maltées et à la finition douce, sèche et houblonnée, qui commence à se faire connaître à l'extérieur du continent africain. Cette bière a été popularisée pour la première fois par le romancier Ernest Hemingway, fameux buveur de bière, qui découvrit la *Tusker* et la *White Cap* (un autre produit des Kenya Beweries) lors de ses fréquentes parties de chasse. Une version *Premier* de la *Tusker* est utilisée pour l'export, principalement aux États-Unis. Afin de bien indiquer la provenance de la bière, une scène de la vie sauvage africaine figure sur l'étiquette.

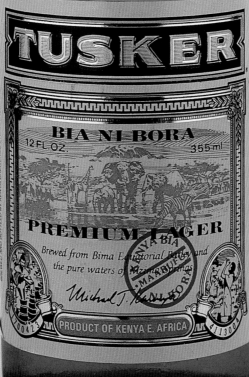

Westmalle Tripel

Brasserie : Abdij der Trappisten van Westmalle VZW

Adresse : Antwerpsesteenweg 496
2390 Westmalle
Belgique

Produite dans le monastère de Westmalle – l'un des six derniers établissements trappistes du monde, les autres étant Chimay (voir page 30), Orval, Rochefort, Westvleteren et Schaapskooi –, cette bière est un magnifique exemple de bière trappiste *pale*, si appréciée des Belges et des Hollandais, qui se distingue des bières d'abbaye, également de bonne qualité mais brassées par des compagnies commerciales.

Fondé dans la périphérie d'Anvers en 1821, Westmalle conserve son caractère monastique de retirement. À l'intérieur, les moines produisent trois types de bières : une simple, connue sous le nom d'*Extra,* qui est une bière délicate de fermentation haute destinée seulement aux moines ; une double, brun foncé et maltée, à la finition sèche ; et sa fameuse triple, ou *Tripel*, une bière claire et forte de fermentation haute, pleine de corps, à l'arôme fruité. Son fardeau est effectué à partir de malts à *pilsner* français et allemands, d'un mélange de levure, avec trois étapes de houblonnage et un ajout de sucre. La bière subit également une seconde fermentation sur une période allant de 1 à 3 mois. Tout ceci produit une bière forte de 9 % ABV qui, si elle a la couleur d'une *pils,* possède le goût riche et la saveur houblonnée d'une *ale.*

Wychwood Hobgoblin

Brasserie : Wychwood Brewery Ltd

Adresse : The Eagle Maltings
The Croftts
Witney
Oxfordshire
OX8 7AZ
Angleterre

Disponible depuis décembre 1995, la *Hobgoblin* des brasseries Wychwood (5,5 % ABV) est décrite par les brasseurs comme étant "une bière forte, pleine de corps, rouge cuivré et bien équilibrée, à l'amertume houblonnée et modérée". Magnifiquement conditionnée et bien commercialisée, cette bière montre que de petites brasseries indépendantes peuvent atteindre un niveau de ventes international.

La brasserie Wychwood est basée dans les Cotswolds, à Witney, dans le comté d'Oxford, et utilise des méthodes traditionnelles – malts, levures et houblons anglais et eau de la rivière locale, la Windrush – afin de produire sa gamme d'*ales*, qui comprend l'intéressante *Dog's Bollocks*, la *Old Devil*, la *Black Wych Stout*, la *Fiddler's Elbow* et la *Wychwood Special*.

La brasserie tire son nom des anciens bois de Wychwood qui entouraient Witney au Moyen Âge. Clinch and Co. fondèrent la brasserie Eagle sur ce site en 1839, mais le brassage s'arrêta en 1962, lorsque la compagnie fut rachetée par Courage. En 1983, Paddy Glenny reprit le brassage et, depuis, la production est devenue considérable, en partie grâce à une loi qui permet aux pubs appartenant à de grandes brasseries d'avoir des *ales*. Wychwood, qui n'était au départ qu'une affaire créée par deux hommes donnant 10 tonneaux par semaine, produit 200 tonneaux par semaine d'une bière disponible dans toute l'Europe, au Canada et aux États-Unis.

Bibliographie

Bosser, Jacques, *Bière, le guide*, Hermé, 1996

Bourgeois, Claude, *La Bière et la Brasserie*, PUF, 1998

Colin, Jean-Claude, *L'ABCdaire de la bière*, Flammarion, 1998

Colin, Jean-Claude, *Les Chemins de la bière*, Coprur, 1994

Couteure, Ronny, *Le Temps de la bière*, La Voix du Nord, 1997

Delos, Gilbert, *Les Bières du monde*, Hatier, 1993

Dormoy, Jean-François, *Le Guide du connaisseur de bière*, Soline, 1998

Finch, Christophe, *La Bière autour du monde*, Abbeville, 1998

Glovern, Brian, *Le Grand Livre de la bière*, Manise, 1998

Hastenbach, Dan, *Découvrez la bière*, SAEP, 1997

Marniquet, Frédéric, *La Bière*, Élikia, 1998

Snyder, Stephen, *Le Livre de la bière*, Mango-Pratique, 1998

Yenne, Bill, *Toutes les bières du monde*, hors collection, 1995

La Rolling Rock est brassée à Latrobe, près de Pittsburgh, É.-U.